les belles lisses poires
du prince de
Motordu

Maquette : Claire Poisson

ISBN : 978-2-07-064211-3
© Gallimard Jeunesse 2005 pour
L'ami vert cerf du prince de Motordu,
2006 pour *Le voyage en bras long de la famille Motordu,*
2008 pour *Motordu, Sang-de-Grillon et autres contes,*
2010 pour *Motordu et Rikikie*
© Gallimard Jeunesse 2011 pour la présente édition
Numéro d'édition : 184238
Loi n° 49-956 du 16 juillet 1949
sur les publications destinées à la jeunesse
Dépôt légal : septembre 2011
Imprimé en Italie par Gruppo Editoriale Zanardi

Pef

Les belles lisses poires du prince de Motordu

mises en couleurs par Geneviève Ferrier

tome 2

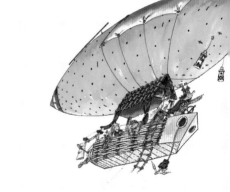

GALLIMARD JEUNESSE

L'ami du prince

Je n'ai aucun souvenir
de mon premier anniversaire
ni de mon vingt-troisième,
d'ailleurs.
Pour mes cinquante ans,
mon fils Alexis m'a offert
une voiture de course
rouillée, sans moteur…
Ce fut un magnifique cadeau !
Je ne compte pas les stylos,
les montres, les pipes,
les livres, les ceintures,
mille choses neuves
qui, comme moi,
ont vieilli,
ou se sont perdues,
ou furent cassées
par le vent de la Vie.
Me reste le souvenir
des bougies soufflées
et des sourires.
Motordu n'a pas d'âge,
mais on lui fête ici
son ami vert cerf.
Peu de gens peuvent se vanter
d'avoir reçu pareil cadeau.

ert Cerf

le Motordu

Assis sur le trône de la salle à danger
de son magnifique chapeau, le prince
de Motordu était tout étourdi par
les gesticulations de ses deux enfants :
— Arrêtez donc de tourner autour
de moi en agitant vos mains !

– Deux mains ! Deux mains... c'est deux mains !
criait Marie-Parlotte.

– Deux mains ! Deux mains… c'est deux mains !
hurlait le petit Nid-de-Koala.

– On ne dit pas : « c'est deux mains »,
rectifia leur papa, mais : « ce sont deux mains »
que je vois là ! Voilà tout ! Et maintenant, au lit !
Oui, demain, je vous emmène aux champs
mignons ou à la bêche au verre.

Les deux enfants du prince embrassèrent leur père
et filèrent se coucher dans la plus haute chambre
du chapeau. Ils se glissèrent sous la chouette de leur
nid douillet, mais eurent bien du mal à s'endormir.

– Il l'a dit, il l'a dit ! jubila Marie-Parlotte.

– Il a dit quoi, papa ? bâilla Nid-de-Koala.

– Il a dit demain, oui, demain ! Il ne se doute de rien,
pouffa Marie-Parlotte.

Et elle ajouta :
– Bon, Nid-de-Koala, tu te rappelles
par où il faut passer ?
– Mais oui, s'impatienta son frère.
En sortant du chapeau, on prend
le chemin, puis, à droite, une petite année !

– Exact ! fit Marie-Parlotte. Une année de puces
pour papa. Et au bout de cette année, une belle
surprise attend notre prince de Motordu.
– Tu crois qu'il acceptera de nous suivre ?
s'inquiéta Nid-de-Koala.
– Mais oui, ne t'en fais pas !
Et les deux enfants fermèrent les yeux tandis que,
beaucoup plus haut, les étoiles, à régner, s'apprêtaient…

Le lendemain matin, ils retrouvèrent
leur papa, son panier à champs mignons
et sa canne à bêche au verre.
– Laisse tomber tout ça, papa, ordonna
Marie-Parlotte. Aujourd'hui, donne-nous
tes deux mains ! Nous t'emmenons
en promenade. Tiens, prenons cette année…

Ils furent bientôt dans la forêt, admirant
les magnifiques chaînes dont les planches
abritaient quantité d'oiseaux.
— Mais où m'emmenez-vous ? s'inquiétait
Motordu. Écoutez, j'entends galoper !

Ils furent aussitôt entourés par une petite
troupe de cendriers. L'un d'eux grogna :
— Interdit de fumer en forêt !
— Mais nous ne fumons pas !
protestèrent nos trois amis.
— On ne sait jamais, fit un cendrier.
Dans le cas contraire, faudra nous donner
vos cendres et vos sales petits mégots !

– C'est bizarre, dit encore le prince,
j'entends aussi comme de petits rires
et des bruits de pas sur les feuilles.
Il se retourna, mais ne vit personne.

Pourtant, se déplaçant
à l'abri des chaînes, il y avait
bel et bien des gens.

La princesse Dézécolle, le père et la mère
de Motordu, les gardes du chapeau, les coussins
de la famille et de nombreux habits suivaient
le prince de Motordu et ses deux enfants.

– Pas de souci, papa,
le rassura Marie-Parlotte.
Regarde : les choupettes sont
de bonne humeur,

et les chaudes-souris se rafraîchissent
avec l'éventail de leurs ailes.
– Tout de même, quel endroit
mi-sérieux ! remarqua le prince.
– Mi-amusant aussi, je te le promets,
papa, dit Nid-de-Koala.

Soudain, Marie-Parlotte se mit à courir.
– Ne te perds pas, cria Motordu,
il fait de plus en plus ombre !
– Pas grave, lui répondit sa fille,
j'ai ma boîte d'amulettes, elle me portera bonheur !
Au bout de cette mystérieuse année,
une lueur éclaira doucement le visage
du prince de Motordu.

Devant lui se tenait un magnifique cerf
de couleur verte dont la ramure était garnie
de rougies allumées par Marie-Parlotte :
– Et voilà, papa, j'espère que tu as enfin compris !
Alors, tous ceux qui, jusqu'ici, se cachaient derrière
les arbres apparurent, applaudirent et crièrent :

– Bon ami vert cerf, prince de Motordu!
– Joyeux happy vert cerf,
Joyeux happy vert cerf, Tordiou!

– Ainsi donc, vous êtes mon ami vert cerf,
constata le prince. Vous êtes marié ?
– Oui, répondit le grand animal.
À une riche qui m'a donné cent faons !
– Vous pourriez compter en euros ! plaisanta Motordu.
– Allez, les enfants, faites votre petit discours,
ordonna la princesse Dézécolle.
Marie-Parlotte et le petit Nid-de-Koala déplièrent
chacun une jolie feuille et prirent la parole.

Cher papa,
nous t'aimons beaucoup.
Jamais tu ne nous donnes de flaques.
même quand il pleut.
Jamais tu ne nous bottes les fesses
quand elles sont toutes sales de terre.
À la maison tu mets toujours le loup vert.
Tu casses souvent l'aspirateur en sifflotant.
Tu n'oublies jamais de sortir le singe
de la machine à baver
(et tu n'attends pas que le ciel
fasse pluie-pluie
pour laver la toiture ...)

Mais tu es surtout gentil
avec la princesse Dézécolle
en lui faisant des bisous dans le doux
POUR TOUTES CES RAISONS,
cher papa,
nous t'aimons encore plus et
nous te souhaitons
UN BON AMI VERT CERF
Marie-Parlotte
et
Jeannot NID-DE-KOALA

– Les rougies, les rougies,
crièrent famille et amis réunis.
Le prince de Motordu gonfla sa poitrine
et étreignit les rougies.
– Bravo papa, applaudit Marie-Parlotte,
et maintenant, ton cadeau !

Le prince se pencha vers les sabots
du cerf puis se redressa. Il tenait entre
ses mains un magnifique baquet cadeau.
– Regarde à l'intérieur, papa !
l'encouragea Nid-de-Koala.
– Motordu plongea les mains dans le baquet
et en sortit deux magnifiques crapauds.
– Oh, comme je suis heureux !
Des crapauds, des crapauds tout neufs
pour mon magnifique chapeau !

Et ce n'est pas tout. Regardez, il y a aussi
une brosse pour me brosser les ans !
– Normal, pouffa Marie-Parlotte,
c'est ton ami vert cerf !

Alors, le prince de Motordu embrassa
tout le monde. Un de ses nobles amis, le marron
de La Châtaigne, lui posa une question :
– Ça vous fait quelle nage, cher prince ?
Le prince agita ses jambes, agita ses bras, agita ses mains
et enfin ses doigts, faisant mine de compter.
– Mais enfin, qu'est-ce qui vous prend ? s'inquiéta le marron.
– Vous me demandez quelle nage j'ai ? Eh bien, je compte
les ans, les dates, vous donnant ainsi
une leçon de datation !

Tout le monde applaudit et reprit le chemin du chapeau.
La princesse Dézécolle s'étonna soudain :
– Personne n'a vu Marie-Parlotte ?
Il faut dire que la sœur du petit Nid-de-Koala
était revenue en arrière pour profiter encore
de l'ami vert cerf. Mais il avait disparu !
– Dommage, fit-elle, il n'est plus là. L'ami vert cerf
de papa est passé. Bah, on le fêtera encore l'année prochaine !
Ce ne sera plus le même, mais un autre ami vert cerf.
Et Marie-Parlotte rejoignit tous les invités.

Elle aperçut sa maman, la princesse Dézécolle,
qui sautait de joie d'un pied sur l'autre,
laissant admirer ses bonds cheveux
tandis que Nid-de-Koala portait fièrement
le baquet cadeau.

Le prince de Motordu, quant à lui,
s'était drapé dans ses crapauds tout neufs.
« Encore heureux qu'on ne m'ait pas offert
d'aigres nouilles », se dit-il à lui-même,
mais il se réjouit en proclamant haut et fort:
– Quel bon ami vert cerf, j'ai un an de plus,
mais je me sens de vieux en vieux !

Le Voyage et de la fami

Tous les enfants adorent
les voyages, à pied, à vélo,
en auto, en avion ou en bateau.
Le petit Pierrot que j'étais
se souvient de ce matin où,
pour la première fois, il vit la mer.
Mais trop d'enfants, de nos jours,
ne voyagent jamais, sinon par
la fenêtre de la télévision
ou d'un jeu vidéo.
Les plus beaux voyages
sont ceux au cours desquels
on peut rencontrer des gens
parlant une langue inconnue
en un lieu où poussent des arbres
à l'envers, où les oiseaux volent
sur le dos et où on mange des
queues de lézard. Et puis
il y a aussi les voyages
qu'on fait dans sa tête.
Grâce aux mots tordus
mon prince vous emmène
dans un voyage de papier.
Les pages qui tournent comme
tourne la Terre sont des étapes
d'autant plus inoubliables
qu'elles sont imaginaires.

bras long

le Motordu

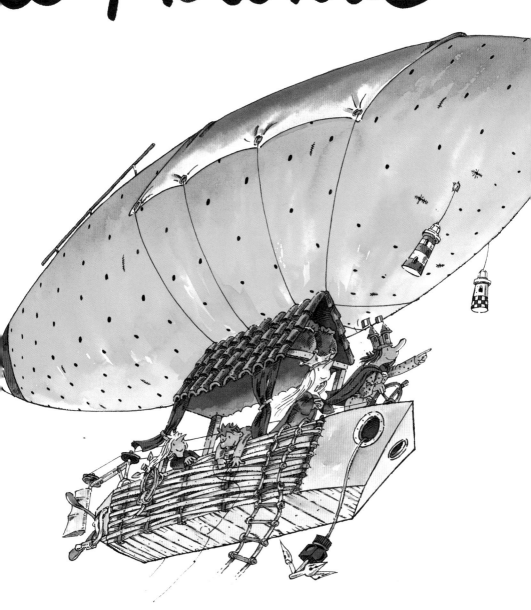

Ce matin-là, la princesse Dézécolle
surveillait le petit déjeuner de ses deux enfants,
Marie-Parlotte et son frère, le petit Nid-de-Koala.
– Mon garçon, nota la princesse, tu en es à ta huitième
Martine ! Bois vite, ton pôle de chaud Colas va refroidir.
Prends donc exemple sur ta sœur !

– Pouh, fit Nid-de-Koala, cette chochotte se contente
de petits flacons de céréales. Ah, les filles…
La princesse allait lui faire les gros yeux
quand un bruit de moteur la fit sursauter :
– Serait-ce une machine agricole ? À cette heure, déjà ?
Sortons sur-le-champ, les enfants, et voyons ce qu'il en est.

Une fois dehors, Nid-de-Koala interpella
son père, le prince de Motordu :
– Eh bien ! Papa, on dirait que tu as encore bricolé
une drôle de machine à lever ou à s'élever ?
L'engin volant en question ressemblait
à un immense ballon.

Il se terminait par une main pointant du doigt
la direction vers laquelle il avait l'intention de se diriger.

– C'est un bras long dirigeable, expliqua Motordu.
Il est équipé d'une nacelle surmontée de ma toiture de course
pour abriter les passagers. J'ai même prévu un moteur !

– Qui pète comme un beau diable ! nota Nid-de-Koala.

– Tu ne crois pas si bien dire, mon fils.

Pour le faire fonctionner, expliqua Motordu,
il me fallait un gaz spécial. Alors, par une nuit
de pleine lune, je me suis rendu au plus profond
de la forêt, là où vivent ces mystérieuses créatures
que sont les lutins, les gnomes et les très horribles trolls.
J'avais pris soin d'emmener de fort jolies peaux
de chambre que je disposai dans une clairière.
Les premiers êtres légendaires à apparaître
furent les trolls. Je les connaissais déjà
bien pour les avoir dénombrés.

Compter mes habitants fait partie de mon travail
de prince. À votre intention, mes chers petits.
Vous pouvez le vérifier dans vos livres de comptes
pour enfants. Les trolls me demandèrent à quoi
pouvaient bien servir ces peaux de chambre.
Je leur conseillai de… de…
de lâcher quelques pets sur les peaux.
– Papa, c'est dégoûtant ! protesta Marie-Parlotte.

– Non, rien de plus naturel que le gaz naturel !
Je disais donc qu'ils n'avaient qu'à… qu'à péter.
Ce qu'ils firent. Puis, je bouchai
les peaux de chambre…
– Et ton nez aussi ?
– … que j'emmenai aussitôt dans mon cabinet de travail.
– Pourquoi ?
– Pour que je les transvase, de nuit,
dans un réservoir spécialement étudié.
– Ça devait puer !
– Tu as un sacré toupet, mon fils !
Et l'essence, elle ne pue pas ?
– Pète bien que oui… Pète bien que non,
hésita Nid-de-Koala.

– Tout cela n'est-il pas dangereux ?
s'inquiéta la princesse.
– Non ! répondit son époux. Par mesure de sécurité,
j'inscrivis aussitôt la nature du précieux carburant
sur le réservoir : P-TROLL !
Les enfants admirèrent donc l'invention de leur père :
– Tu es un génial inmenteur, papa !
Celui-ci annonça ensuite que, dès le lendemain,
toute la famille s'embarquerait pour un grand voyage
autour du monde et des gens,
car le monde est plein… de monde !

Effectivement, le matin suivant, la famille Motordu
se retrouva dans la nacelle d'osier puis le prince déclara :

– À bord de ce bras long,
chacun sa tache ! D'encre nous
n'avons plus grand besoin.
Mais, au sol, l'encre
y est encore. À toi de la lever,
matelot Nid-de-Koala !
– À vos ordres, capitaine, pouffa
Nid-de-Koala.
Enfin libre, le bras long allait
s'élever majestueusement dans
les airs quand Marie-Parlotte
fit part de ses craintes
en demandant :
– Tu crois qu'il est prudent
de partir, papa ? Le temps
n'est pas clair du tout.

La blonde princesse
Dézécolle intervint :

– Votre père a soigneusement
consulté la météo :
toutes ces brunes matinales
devraient se dissiper.
– Visibilité zéro, se lamenta
Nid-de-Koala, quelle purée
de bois sur la forêt !
Le prince de Motordu
lui tapa sur l'épaule :
– Allons, allons, il ne faut pas
avoir peur du trouillard,
mon fils !

– Nous voici en plein ciel, se réjouit la princesse.
Comme notre chapeau me semble petit !
Comme les vaches ressemblent à des boutons !
Et, poétiquement, elle ajouta :
– Regardez tous ces nuages,
aujourd'hui apportés, demain enfuis…
– Raison de plus pour les étudier, décida le prince.
Tout là… oh… là, oh, admirez les scies russes aux cristaux
de glace très coupants. Et, plus bas, petits, en bandes,
voici les nains bus, appelés ainsi parce qu'ils transportent
quantité de pluies… passagères.
– Donc, pleines de gouttes laides pour ceux qui n'aiment
pas les averses, avertit la princesse Dézécolle.

Un peu plus loin, le bras long manqua de disparaître
dans une sorte de chou-fleur géant.
Heureusement, le prince de Motordu réussit à l'éviter,
précisant qu'il s'agissait là d'un culbuto-nimbus,
un dangereux nuage d'orage, bourré d'éclairs
et de bourrasques, fort capable de faire culbuter
son engin volant. Indigérable pour un dirigeable !
– Le danger est passé, le beau temps revient, regardez,
il bleu, hi, hi, hi ! s'exclama la princesse, prise de fou rire.
En effet, le ciel bleu hissait sa couleur favorite.

– Chic, nous voici déjà au-dessus de la mer !
cria Nid-de-Koala.
– Et l'amer, c'est salé, prévint Marie-Parlotte.
Quelques heures plus tard, le bras long survola une côte :
– L'amer, hic, déjà ? hoqueta Nid-de-Koala,
un peu désorienté.

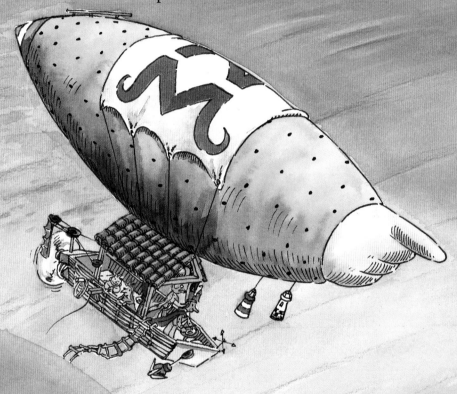

– Non, une île, ou plutôt un îlot, précisa le prince.
– Regardez, à sa surface, il n'y a qu'une sorte
d'arbres, des arbres fruitiers, constata la princesse Dézécolle.
Le bras long se posa en douceur et son équipage prit
pied sur le sol pour se dégourdir les jambes.

La famille Motordu fut aussitôt entourée
par les habitants de l'île, surpris, mais ravis :
– Cette terre n'a pas toujours été recouverte de ces arbres
que vous avez remarqués, princesse, fit le plus âgé des îliens.
Il y poussait d'autres fruitiers. Qui donnaient des noix.
Personne ne peut naviguer sur une coquille de noix
sans risque de se noyer. Aussi avons-nous préféré le pêcher.
– Pourquoi ? demanda Nid-de-Koala.
– Pour pêcher, ce qui est vital, au bord de la mer.

Aussi pratiquons-nous la pêche à la ligne.
Je crois bien qu'avant tous les autres
nous avons été les pommiers à avoir introduit
cette technique sur cet îlot dessert.
Le repas qui suivit fut délicieux et servi tout près
du port sur un gâteau de pêche.
– Mon projet a porté ses fruits, se félicita Motordu.
Nous n'avons connu aucun pépin.
Reposons-nous et, demain matin, nous filerons
d'ici sans nous presser, promit-il en avalant
un dernier verre de jus de fuite.

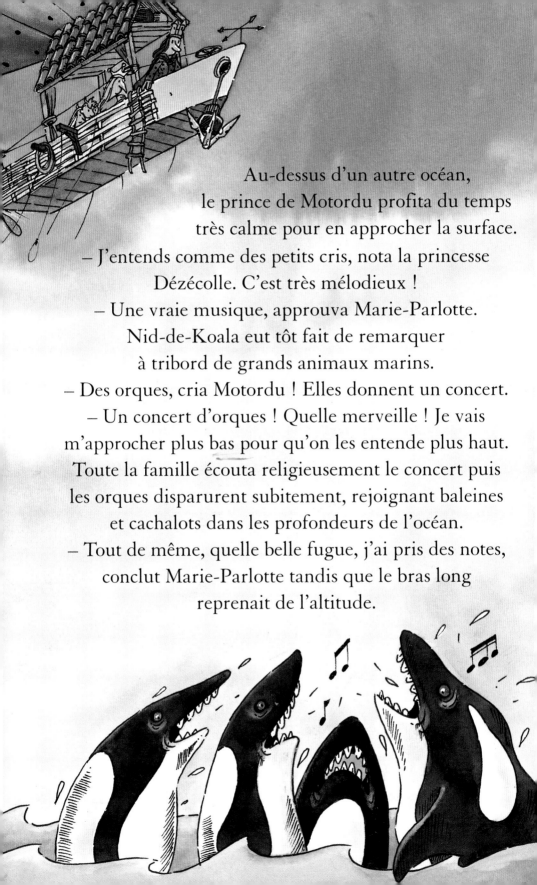

Au-dessus d'un autre océan,
le prince de Motordu profita du temps
très calme pour en approcher la surface.
– J'entends comme des petits cris, nota la princesse
Dézécolle. C'est très mélodieux !
– Une vraie musique, approuva Marie-Parlotte.
Nid-de-Koala eut tôt fait de remarquer
à tribord de grands animaux marins.
– Des orques, cria Motordu ! Elles donnent un concert.
– Un concert d'orques ! Quelle merveille ! Je vais
m'approcher plus bas pour qu'on les entende plus haut.
Toute la famille écouta religieusement le concert puis
les orques disparurent subitement, rejoignant baleines
et cachalots dans les profondeurs de l'océan.
– Tout de même, quelle belle fugue, j'ai pris des notes,
conclut Marie-Parlotte tandis que le bras long
reprenait de l'altitude.

Un autre jour, alors que les deux enfants faisaient la sieste,
les exclamations de leur mère leur firent ouvrir les yeux :
— Vite, vite, regardez des oiseaux migrateurs !
Elle croisa les mains sur sa poitrine et déclama :
— Le ciel était gris de nuages, il y volait des doigts sauvages…
Le prince de Motordu reconnut que son épouse avait vu juste :
— Les doigts sauvages fuient l'hiver. Direction le sud !
— Oui, ces oiseaux s'y dirigent les œufs fermés,
assura Nid-de-Koala, il y va de la survie de leur espèce.

Plus loin, d'autres créatures ailées croisèrent le bras long
mais, de petite taille, elles semblaient difficiles à identifier.
— Peu importe, se satisfit Marie-Parlotte,
elles iront d'elles-mêmes en Afrique.
— Iront… iront… hirondelles, hirondelles,
même comportement. Ce sont des hirondelles,
fit le prince en se tapant le front. Suis-je bête
de ne pas y avoir pensé plus tôt !

La nuit était tombée
depuis longtemps.

Les deux enfants du prince de Motordu
dormaient sous les chaudes ouvertures par lesquelles
ils étaient passés pour pénétrer dans leurs rêves.
Leur père et la princesse Dézécolle veillaient.
Motordu aperçut alors une île
faite de millions de petits points lumineux.
– Je me reconnais ! C'est Paris ! Paris, Île lumière,
comme on dit ! N'entendez-vous pas les aboiements ?
Les aboiements des Parichiens et des Parichiennes !
– Oh, mon adorable fou, rappelez-vous, c'est ici
que nous avons passé notre voyage de gosses.

— Je me souviens parfaitement, protesta Motordu, surtout
du lit de la Seine, un joli lit. Même que nous avions déjà,
en le faisant, prénommé Lili notre premier enfant. Mais, par
la suite, nous l'appelâmes Marie-Parlotte. Ça lui allait mieux.
Et le prince et la princesse s'embrassèrent tendrement
sous la course folle d'étoiles vivantes en provenance
de lointaines planètes mortes.

Une des étapes les plus remarquables
du voyage en bras long fut l'arrivée de la famille Motordu
en Mongolie, un pays lointain, immense, qui prenait
une bonne part de la tarte de géoravie. Très vastes
prairies, montagnes bleues, rivières scintillantes et claires
rendaient les enfants naturellement gourmands !
L'atterrissage eut lieu près d'un village
dont les habitants avaient le visage comme recouvert
d'une étonnante poudre jaune pâle.
– Ce sont des pommades, chers enfants, assura le prince.
Leur vie errante se passe à suivre d'immenses troupeaux.
Les Motordu furent accueillis avec beaucoup d'égards.
– Merci pour votre hospitalité, répondit Nid-de-Koala,
mais je trouve que vos maisons sont bizarres.

— Peut-être à vos yeux, reconnut le chef de la tribu.
Ce sont des tentes, mais différentes de celles des Indiens.
Nous, appeler ça : yourtes. Il y a yourtes aux fruits,
il y a yourtes à la famille, très grandes, et il y a yourtes
nature, faites de perches de bois et de peaux de bêtes :
chameaux, bœufs…

– Et des cheveux aussi ! s'enthousiasma Marie-Parlotte.
Passionnée d'équitation, elle avait tout de suite repéré
d'immenses troupeaux de cheveux sauvages.
Bonne cavalière, elle passa de très bons moments
sur le dos de quelques-uns, bien sûr domestiqués,
les conduisant même jusqu'à la rivière, pour les peigner.
À son retour, elle remarqua l'air embarrassé du prince :
– Tu te fais du souci, papa ?

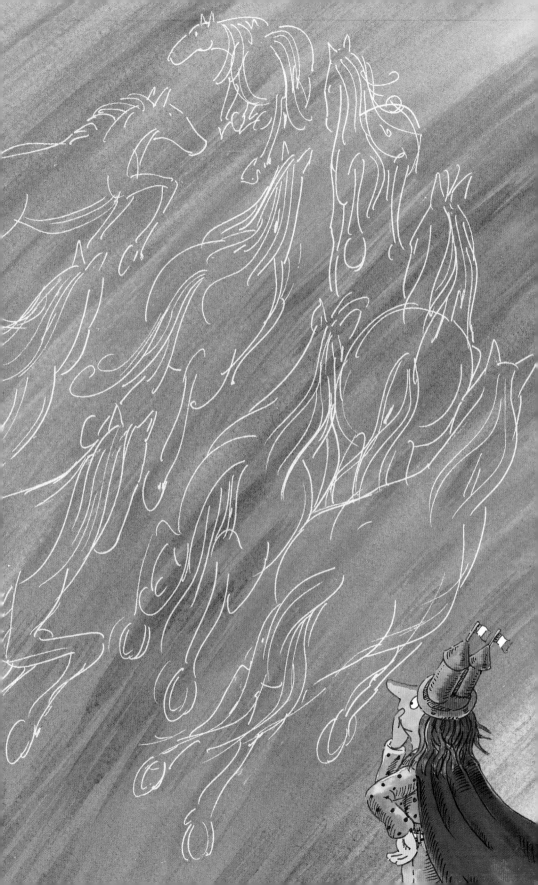

– Oui, ma fille, je viens d'inspecter notre bras long
et j'ai constaté qu'il ne restait presque plus de P-Troll.
Tout juste assez pour revenir chez nous.
Il faut absolument économiser ce précieux carburant.
Mais ne vous inquiétez pas ! Des vents favorables nous
pousseront jusqu'à notre lointain chapeau.

Avide de bons souvenirs, Nid-de-Koala fouilla
dans son sac pour en extraire un minuscule appareil :
– Tu vois, expliqua-t-il à un jeune Mongol, la boîte capte
la lumière qui rentre à l'intérieur et ressort sur le petit écran.
Cela s'appelle un appareil photo-lumiérique. Clic !
Tu vois, ça marche !

Son nouveau copain
sourit puis courut vers sa yourte aux fraises.
– Je crois que je l'ai épaté, confia Nid-de-Koala à sa sœur.
Le garçon revint bientôt, tenant à la main une petite boîte
à peine différente de celle du jeune voyageur.
Et d'expliquer :
– J'ai aussi lumiérique !

Ça marche ; et même ça court sur écran. Regarde sœur à toi !
Galope sur cheveux. Caméra lumiérique ! Pas mal, non ?
Nid-de-Koala rougit un peu et l'autre garçon éclata de rire
devant la petite jalousie de Nid-de-Koala :
– Toi vouloir épater moi, mais toi, ami lointain et inconnu,
à présent tu m'es devenu cher, appâté par ma caméra !

Le prince de Motordu,
la princesse Dézécolle
et leurs deux enfants
prirent congé de leurs
nouveaux amis avec qui
ils échangèrent leurs adresses,
puis ils s'envolèrent.

Le voyage de retour se passa très bien
et le prince annonça bientôt, par message radio,
l'arrivée prochaine de la fabuleuse expédition.
Dans les derniers moments du vol il eut la surprise
de voir d'autres engins accompagner son vaisseau :
– Super, il y a même des bras longs de foot et de rugby !
applaudit Marie-Parlotte.

– Et voilà, fit le prince en sautant à terre.
Nid-de-Koala, qu'est-ce que tu fais avec l'encre ?
– Débrouille-toi tout seul, papa, je l'emmène au chapeau !
Je vais avoir besoin de beaucoup d'encre pour fixer
sur un cahier le récit de nos aventures. Et, naturellement,
je vais prendre… ma plus belle plume ! Ne sommes-nous
pas devenus un peu des oiseaux ?
Et ce qu'il raconta, vous venez de le lire.

Motordu, San

et autres Contes

Quand j'étais petit garçon,
je ne lisais jamais de contes.
Je préférais regarder les images.
Elles n'étaient pas en couleurs.
C'étaient des gravures
imprimées dans des livres
vieux de plus de cent ans.
Ces images me faisaient
peur. J'y voyais des forêts
mystérieuses, des femmes
pendues dans une armoire.
Il y avait bien souvent
un mariage à la fin
et des promesses
de nombreux enfants.
Marie-Parlotte a donc
pensé à moi en tordant
ces histoires légendaires.
Barbe-Bleue, devenant
Barbe-Meuh, devient
plus ridicule que méchant.
C'est pourquoi on dit
que les bons contes font
les bons amis.

Ce soir-là, la princesse Dézécolle annonça
qu'elle devait s'absenter du chapeau familial :
– Je vous quitte, les enfants. Et vous aussi, mon cher Motordu.
Pas pour tout jour, ni pour toute nuit, rassurez-vous,
juste pour une toute petite partie de la soirée.
– Vous allez faire une promenade au clair de dune ?
Attention de ne pas y rencontrer
le marchand de sable ! prévint le prince.
– Ne rêvons pas, soupira la princesse, en prenant
la main de son mari. Il se trouve que j'ai, ce soir,
une importante réunion de parents des lèvres.

Je dois discuter avec eux des incessants bavardages
des enfants pendant les heures de classe.
Je ne sais pas ce qu'ils ont, cette année…
– Nous on sait ! firent en chœur Marie-Parlotte
et son frère, le petit Nid-de-Koala.
– Alors, dites-le-moi vite, cela peut m'être très utile
avant que je ne me rende à cette réunion.
– Ben, le bavardage des lèvres, c'est tout à fait normal.
On ne bavarde ni avec les oreilles ni avec les yeux,
certifia Nid-de-Koala.

– Et puis, ajouta Marie-Parlotte, quand on s'exprime,
il ne faut pas s'entendre dire : « Tais-toi, c'est mal ! », mais :
« T'es toi, c'est bien ! » Le droit à la parole n'a rien de tordu.
– Hum, vous avez raison tous les deux, je le reconnais,
mais pour moi, enseignante, c'est parfois fatigant.
Je me demande même si, de nos jours, les enfants
ne sont pas trop sous l'influence de la fée des visions.
À trop la regarder, elle doit contribuer à faire
de vous des bavards d'âge trop jeune pour être ainsi
prisonniers des chaînes de cette fée électrique, électronique,
excitante, souvent trop tôt allumée, trop tard éteinte
et qui vous mange le sommeil.

– Hé, maman, ta réunion, c'est tout à l'heure,
protesta Nid-de-Koala, fais-nous plutôt un câlin.
La princesse embrassa ses enfants en laissant courir
ses chevaux sur leurs joues. Comme ils trouvaient
ça beau ! Comme ils adoraient !
Un peu jaloux, le prince de Motordu dit à sa flamme :

– Vous savez très bien, princesse,
que j'ai beaucoup de mal à m'endormir tout seul,
dans mon lit tout froid. Je vous l'ai dit et répété :
vous êtes ma marchande de sable à moi.
– Allons, cher prince, lui fut-il répondu, vous êtes grand,
à présent. Cependant, je propose à Marie-Parlotte
et à Nid-de-Koala de vous raconter une belle lisse poire
pour vous aider à trouver le sommeil.

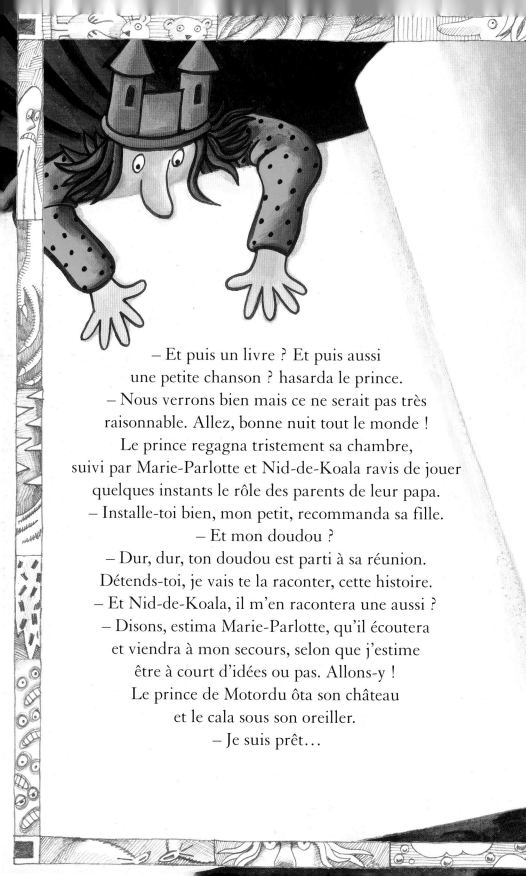

       – Et puis un livre ? Et puis aussi
une petite chanson ? hasarda le prince.
    – Nous verrons bien mais ce ne serait pas très
raisonnable. Allez, bonne nuit tout le monde !
    Le prince regagna tristement sa chambre,
suivi par Marie-Parlotte et Nid-de-Koala ravis de jouer
quelques instants le rôle des parents de leur papa.
    – Installe-toi bien, mon petit, recommanda sa fille.
    – Et mon doudou ?
    – Dur, dur, ton doudou est parti à sa réunion.
Détends-toi, je vais te la raconter, cette histoire.
    – Et Nid-de-Koala, il m'en racontera une aussi ?
    – Disons, estima Marie-Parlotte, qu'il écoutera
et viendra à mon secours, selon que j'estime
être à court d'idées ou pas. Allons-y !
    Le prince de Motordu ôta son château
et le cala sous son oreiller.
    – Je suis prêt…

– Il était donc une voix, la mienne,
commença Marie-Parlotte, une très jeune personne
appelée Sang-de-Grillon, car elle était toujours
fourrée dans la cheminée d'un chapeau.
Elle y était au service d'un homme dont la barbe
bleue s'étalait sur un corps large comme
une armoire. Cet homme n'avait pas l'air commode
du tout. Il avait même l'air vache, d'où son surnom :
Barbe-Meuh !

Sang-de-Grillon n'était pas heureuse.
Barbe-Meuh l'obligeait à prendre des bûches,
ce qui lui occasionnait des bleus, à souffler sur les braises,
ce qui la faisait voir rouge, et à ramoner la cheminée
trois fois par jour, raison pour laquelle elle broyait du noir.
Elle en voyait donc de toutes les douleurs !

La réputation de Barbe-Meuh était si terrible
que les gens d'armes s'étaient mis à surveiller
de près cet individu. Un jour ils frappèrent la porte
de sa demeure jusqu'à ce qu'elle finisse par souffrir
et ils s'adressèrent à Barbe-Meuh :

– Dites donc, on ne voit plus du tout
votre épouse ! Bizarre, non ?
L'homme à la barbe bleue répondit avec aplomb, d'un ton léger :
– Elle est dans l'armoire, elle fait du changement.
Dites, entre nous, les femmes adorent le changement,
c'est bien connu. Je lui ai donné des ordres mais rien n'y fait.
D'ailleurs vous connaissez le proverbe : « Souvent femme
change d'habit, bien fol est qui, sale, s'y fie. »
– Comme c'est furieux, répliquèrent les gens d'armes
en fronçant les sourcils, chaque fois que vous vous mariez,
votre femme disparaît et quand on vous demande où elle est,
vous nous faites la même réponse. On voudrait lui parler
en personne, à votre femme, compris ?
– Impossible, répondit Barbe-Meuh, j'ai perdu
la clé de cette maudite armoire.
– Alors cherchez-la, et vite. On repassera
quand on aura fini notre lessive.

Un peu plus tard, Sang-de-Grillon retrouva cette clé,
toute tachée de sang. Le cœur battant,
elle parvint à ouvrir la porte de la fameuse armoire.
Quelle horreur : toutes les femmes de Barbe-Meuh
s'y trouvaient et, du changement, en effet il y en avait.
Les femmes de Barbe-Meuh, pendues,
étaient changées en squelettes.

Horrifiée, Sang-de-Grillon s'enfuit de l'horrible demeure
et courut se cacher à l'abri d'un bois. Les arbres y poussaient
si près les uns des autres qu'ils se gênaient, se disputaient
et en venaient même à se mordre entre eux,
sort qu'ils réservaient aussi à tous ceux qui s'aventuraient
sur leur territoire. À son tour, Sang-de-Grillon
fut cruellement mordue. Elle protesta, mais en vain :
– Non mais dites donc, vous me prenez
pour une tranche de pin ? Qui êtes-vous ?
– Nous sommes les arbres du bois de la Belle au bois mordant !
– Et qui est cette belle au bois gourmand ?

– Une princesse, répondit un être gigantesque, une princesse
qui passe son temps à roupiller, elle et tout
son petit monde autour d'elle, là-bas en son chapeau.
L'arbre immense ajouta que, d'après ce qu'on racontait,
seul un blessé sur ses lèvres pourrait la réveiller.
– Vous voulez dire un baiser ? s'enquit Sang-de-Grillon
qui croyait avoir mal entendu. Quelle idée !
Vous me racontez là une histoire à dormir debout !
– Que tu crois. Allez, file. Sais-tu ce qu'il resterait de toi,
sans tête, sans bras et sans jambes ?

– Oui, un tronc, admit-elle. Bon, salut, vieilles branches !
Sang-de-Grillon quitta le bois mordant en frottant les petites
blessures que lui avaient infligées les arbres et courut
au chapeau de cette princesse au profond sommeil.
Parvenue dans la chambre de celle-ci, elle s'annonça :
– Me voici, moi, Sang-de-Grillon, allons, réveillez-vous !
Mais seul un ronflement lui répondit. Elle jeta un regard
dans un miroir et ce miroir lui renvoya aussitôt l'image
peu admirable de son petit corps meurtri.
– Blessée je suis, blessée je reste, constata Sang-de-Grillon...

Alors, elle se pencha sur le lit et déposa le mot
« blessée » sur les lèvres de la princesse qui ouvrit
les yeux et, évidemment, se mit à brailler en s'étirant.
– Mettez la main devant votre bouche
quand vous braillez, princesse, c'est plus joli.
– Mais, s'étonna l'illustre personne tout à fait réveillée,
vous n'êtes pas le prince Armand ! C'est lui
que j'attendais. Lui seul a le pouvoir de me réveiller.
Je crois que je vais me rendormir...
– Pas question ! Moi, c'est Sang-de-Grillon. Des Armand,
j'en connais des armées, mais aucun n'est prince.
– Dommage, soupira la princesse. Dans le dernier rêve
que j'ai fait, il suffisait d'un coup de sifflet pour
qu'apparaisse mon prince Armand. Mais une princesse de
mon rang ne siffle pas entre ses doigts. Ce ne serait pas poli.
– Si fait, si fait, concéda Sang-de-Grillon, qui ne voulait
pas la contrarier. Toutefois je vous conseille de vous doucher,
de prendre un bon petit déjeuner et de filer sans tarder faire
un peu de ménage dans votre bois mordant, la belle,
sinon c'est la mort sûre assurée de tous vos arbres.
Désireuse de fuir au plus vite ce lieu ensommeillé
pour un autre plus ensoleillé, Sang-de-Grillon
quitta le château et héla un taxi.

– Hé là, fit son conducteur, vous me prenez pour
une ambulance ? Non mais, regardez-vous ! Qui vous a si
joyeusement mordue ? Un chien encagé qui se serait évadé ?
J'espère que vous n'allez pas au bal ! Manquerait plus
que votre cavalier vous écrase les pieds. Ce serait le bouquet !
– Ben vous alors, ce que vous pouvez être rosse !

– C'est trop peu dire. Je suis un bouquet de rosses
à moi tout seul. D'ailleurs on m'appelle le gars rosse.
C'est rapport au fait que je fais le taxi, ce satané taxi pourri
dont vous allez massacrer les sièges. Allez, charpie, je vous
embarque, mais vous avez vu l'heure ? Je vous préviens :
à minuit pile, je me transforme en six trouilles !
– Même pas peur, se vanta Sang-de-Grillon,
six trouilles seulement ?
– Ouais, un paquet de trouilles, fit le gars rosse :
trouille du noir, trouille bleue, trouille de se faire attaquer,
trouille du croque-mitaine, trouille de tout, quoi !
– Ça fait que cinq !
– T'as raison, petite, j'oubliais la trouille de la trouille.
Des fois, j'ai même, en plus, la trouille de perdre la mémoire.
– Ça fait sept ! Et même huit,
en comptant les trouilles au beurre !

Marie-Parlotte, soudain,
arrêta le fil de son histoire :
– Tu m'écoutes, papa ? Tu dors ?
– Hélas non, répondit le prince
de Motordu.Quand on veut s'endormir,
c'est les moutons qu'on compte,
pas les trouilles…
– Bon, je continue, s'obstina sa fille.
Tu vas bien finir par t'assoupir.

– C'est que j'ai la trouille
de ne pas me réveiller.
– Allons, papa, le rassura Nid-de-Koala,
la princesse Dézécolle est le plus beau rêve
du monde. Même de loin, notre mère
veille sur ton sommeil. Elle ne va pas
tarder. C'est juste une question d'heurts.
Quand le marteau heurte la cloche.
Ding ! Dong !
– Quel heurt est-il ? bâilla le prince.

– Bientôt dix heurts, annonça
Marie-Parlotte. On va terminer l'histoire.
– Et après, j'aurai une petite chanson ?
mendia Motordu.
– On verra, on verra. Maman dit toujours
une histoire, une histoire seulement.
Sinon, ça n'en finit pas. Je continue :

– Tu te souviens, papa, que Sang-de-Grillon
avait rencontré un gars rosse qui faisait le taxi.
Comme il s'était mis à pleuvoir, le gars rosse
la déposa en pleine averse.
– Combien je vous dois ? soupira Sang-de-Grillon.
– Rien du tout, mademoiselle Plaies-et-Bosses,
tout le plaisir est pour moi que de vous planter
là, sous la flotte. Salut !
Sang-de-Grillon poursuivit sa route à pied,
mais elle ne tarda pas à s'apercevoir qu'il y avait
plus malheureux qu'elle, rattrapant en effet un tout
petit et tout maigre garçon tout mouillé.
– Bonjour, je suis Sang-de-Grillon. Quelle pluie !
Puis-je faire quelque chose pour toit ?
Puis-je t'abriter ? Et d'abord, qui es-tu ?
– Je suis l'Appétit Poussé et j'ai six frères.

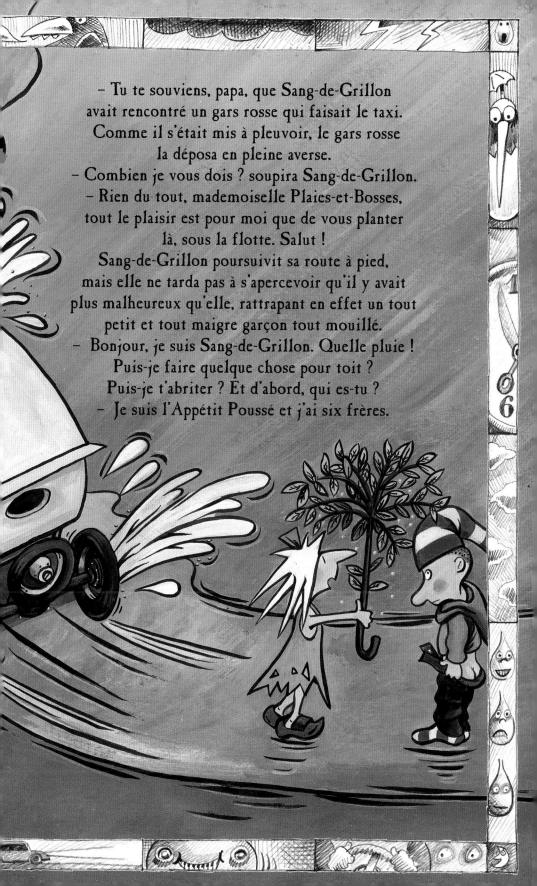

Tu les verras sans doute, ils sont en train
de me rejoindre sur ce chemin de frères. Si tu veux tout savoir,
nos parents nous ont abandonnés car ils ne pouvaient
plus nous nourrir. Après avoir longtemps erré,
on s'est retrouvés chez un ogre abominable qui,
par l'appétit poussé – d'où mon nom ! –, a voulu nous égorger.
Sa femme nous a trouvés trop maigres et nous a glissés,
mes frères et moi, dans un lit, juste à côté d'un autre lit
où dormaient les sept billes de l'ogre, dans un sac de couchage.
– Un sac de billes, donc.
– Oui. Certains du sort horrible qui nous attendait,
poursuivit l'Appétit Poussé, j'ai remplacé
les couronnes sur les têtes des billes par les bonnets
que nous avions toujours avec nous.

Dans l'obscurité de la chambre, l'ogre affamé
a tout confondu et il a avalé ses propres billes.
Ah, je l'ai bien roulé. Ensuite, nous nous sommes enfuis
mais l'ogre, furieux, a voulu nous rattraper à l'aide
de ses bottes de sept lieux. Mais je les lui avais volées.
Ça me permettait d'aller très vite
en sept lieux différents.
Par exemple : saut du lit de la rivière,
bond sur le lac, enjambée du Mont-Saint-Michel,
mais ça ne me servait pas à grand-chose,
j'étais toujours en train d'attendre mes six frères,
nigaud que je suis !
– Chut, ordonna Sang-de-Grillon, j'entends du bruit.
Ami ou ennemi ?

Effectivement, devant elle, un chat miaulait.

– Ouf... ami au lait, se réjouit
l'Appétit Poussé en se frottant le ventre.

– Arrête, fit Sang-de-Grillon, j'ai envie d'une histoire
sans faim, du moins jusqu'à ce que le prince de Motordu,
à qui je la raconte, se soit parfaitement endormi.

Le chat noir qui se trouvait devant eux faisait grise mine.

– Bonjour, dit-il, ou bonne nuit, je ne sais plus.
La nuit, tous les chats sont gris mais, le jour,
tous les chats se gourent. Je ne sais sur quel doute
je me trouve ni si je dois passer
la marche à vent pour suivre mon chemin.

– Dis donc, se moqua Sang-de-Grillon,
tu m'as l'air bien empoté !

– Hélas, c'est même mon nom. Je suis le Chat Empoté.
J'ai perdu une botte. Chat m'empêche de marcher, de courir,
de servir mon maître, le fameux Marquis de Quatre-Cabas.

– Y a quoi, dans tes cabas ? demanda l'Appétit Poussé
dont l'estomac criait farine.

– Ben, répondit le Chat Empoté, du blé,
un lapin de ma reine et des drix.

– Des drix ? Femelles ou mâles ? s'enquit Sang-de-Grillon.

– Des pères, des pères drix, affirma le Chat Empoté.

– Miam, des perdrix, fit le compagnon de Sang-de-Grillon.

– Ça suffit, fit celle-ci, l'Appétit Poussé va te faire cadeau
d'une de ses bottes pour remplacer celle que tu as perdue.

– Mais on va boiter, protestèrent le Chat Empoté
et l'Appétit Poussé, chaussés que nous serons
de chaussures dépareillées !

- N'avez-vous jamais entendu parler de boîtes à chaussures,
espèces d'empotés ? Allez, courez vite retrouver
le Marquis de Quatre-Cabas et les six frères à la traîne.

- Alors, papa,
tu dors ?
- Euh, non...

... se défendit le prince de Motordu. Six trouilles,
sept frères, des bottes de sept lieues, quatre cabas.
J'ai beau conter et raconter sur mes doigts,
je ne m'en sors pas. Si, à son tour, Nid-de-Koala essayait
de me raconter une histoire ? Marie-Parlotte éclata de rire :
– Impossible, il s'est déjà endormi. Allons, papa,
laisse-moi continuer :

Alors Sang-de-Grillon poursuivit son chemin
sans histoire, mais comme, justement, elle aimait les histoires,
elle en désira vivement une autre. Celle-ci se présenta
sous la forme d'une jeune personne à qui elle s'adressa :
– Bonjour, je m'appelle Sang-de-Grillon. Je cheminais
quand le hasard nous fit nous rencontrer. Il va sans dire
que vous me réchauffez le cœur. Vous avez un foyer ?
– Hélas non, répondit l'inconnue.
Mon nom est Planche-Beige.

J'ai une très grande ennemie, ma méchante belle-amère
qui ne peut pas me voir en peinture et m'empoisonne la vie.
Elle brûle d'envie de me réduire en cendres et de me faire
partir en fumée, parce que, paraît-il, je suis plus belle qu'elle.
Les sept mains me protègent mais ils ne sont pas toujours
à mes côtés, courant pour leur travail manuel dans la ville
de Gand ou dans la Manche. Ah, comme je crains
que ma belle-amère ne survienne pour me clouer le bec,
me raboter, me si...

– Me scier ?

– Oui, me scier ! Et me jeter au feu,
se désola Planche-Beige. Ah, écoutez, je l'entends !

– Ah, Planche-Beige, fit une voix coupante,
je vais te couvrir de peinture vert pomme
empoisonnée pour que tu pourrisses, ou de gris souris
pour que tu te fasses boulotter par le Chat Empoté.

– Celui-là, je le connais, reconnut Sang-de-Grillon.
Il ne s'en laissera pas conter. Cachez-vous,
Planche-Beige, je m'occupe de cette empoisonneuse.

– Qui êtes-vous ? hurla la belle-amère.

– Je suis Sang-de-Grillon et Planche-Beige n'est pas là.

– Et où est-elle, que je la fende en deux
et deux fois plutôt qu'une ?

– Retournée dans sa famille natale à la recherche
de ses racines, mentit Sang-de-Grillon.

– C'est où, ça ?

– Au bois mordant. Suivez-moi !
Arrivée au fameux bois, ce bois qu'elle ne connaissait
que trop, Sang-de-Grillon s'inclina :

– Après vous, chère madame...

La belle-amère se rua en avant mais à peine
avait-elle fait quelques pas qu'elle fut agressée par les arbres.
– Au secours, Sang-de-Grillon.
On me bécote, on me grignote, on me déchiquette,
on me mâche. C'est croc, c'est croc !
Alors, se rappelant qu'il pourrait surgir
au premier sifflement, Sang-de-Grillon siffla entre
ses doigts et le prince Armand apparut,
aussitôt supplié par la méchante femme :
– Sauvez-moi, je suis la belle-amère au bois mordant !

– Vraiment ? C'est vous ? Je ne vous imaginais
pas comme ça. Comme mon cœur bat !
Comme j'aimerais vous embrasser, se pâma le prince.
– Tout ça, c'est des histoires. Sauvez-moi d'abord.
Après, on verra, fulmina l'ennemie mortelle
de Planche-Beige. Puis, radoucie :
– Soignez-moi, épousez-moi, et je me ferai belle
à merveille, douce comme une amande douce, doucette,
douceronne, doucissime, douçaillonne, douciste,
doucebèque, bref, douze fois douce...
– Cent quarante-quatre, conclut Sang-de-Grillon.

– Qu'est-ce qu'elle raconte, celle-là ? hurla la belle-amère.
– Rien, rien, je compte simplement sur vous pour
que vous épousiez le prince Armand.
Le beau jeune homme libéra la belle-amère et la prit
pour femme sur-le-champ, enfin, sur un autre champ,
une jolie prairie dont le maire leur souhaita beaucoup
de bonnes heures. Barbe-Meuh, l'Appétit Poussé,
le Chat Empoté, Planche-Beige, Sang-de-Grillon
et son gars rosse furent de la fête qui dura
sept jours et cette nuit.

– Voilà, papa, elle te plaît, mon histoire ?
– Non, trop tordue pour mon âge.
J'ai bien peur de chercher désespérément
à la comprendre, ce qui m'empêchera
de m'endormir. Tu n'aurais pas une autre histoire ?
– Bien sûr, bien sûr. Et Marie-Parlotte éclata de rire :
Je vais sans plus tarder te lire la belle lisse poire
du prince de Motordu.
– Mais c'est mon histoire ! s'écria le prince.
– Justement, celle-là, tu la connais par cœur et tu l'adores.
Ne t'en fais pas. Tu vas t'endormir avec toi-même.
Tu te sentiras donc moins seul, en attendant
le retour de ta chère princesse Dézécolle.

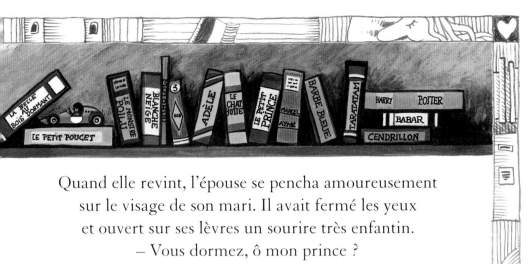

Quand elle revint, l'épouse se pencha amoureusement
sur le visage de son mari. Il avait fermé les yeux
et ouvert sur ses lèvres un sourire très enfantin.
– Vous dormez, ô mon prince ?
– Que nenni ! Si vous saviez ce que votre fille m'a raconté…
La princesse Dézécolle soupira et leva les yeux
vers une étagère où quelques livres se tenaient, serrés les uns
contre les autres. Peut-être était-ce la fatigue, mais la princesse
eut l'impression qu'ils frissonnaient. Elle les connaissait
bien et en lut les titres : *Cendrillon, Barbe-Bleue,
Le Petit Poucet, Le Chat botté, Blanche-Neige…*
De belles histoires dont Marie-Parlotte s'était souvenue
et qu'elle avait tranformées en belles lisses poires.
– Ah, cette coquine de Marie-Parlotte,
quelle adorable petite tordue ! Mais à présent je suis là,
mon cher Motordu, vous pouvez enfin vous endormir…

Motordu et Rikikie

Nous sommes au monde.
Nous en voyons le ciel
et les nuages, les arbres
et les ruisseaux. Il s'agit
d'un monde à notre
échelle, infiniment grand.
Mais, sous nos pieds,
existe un autre monde
qui, lui, est infiniment petit.
C'est celui dans lequel
le prince de Motordu pénètre.
Car il a mystérieusement rétréci.
Cet univers-là nous procure
autant de petites peurs
que de curiosité.
Que se passerait-il
si vous vous trouviez
devant une armée
de fourmis géantes?
Rassurez-vous, Motordu
ne rencontre que fourbis,
criquets et autres papi-lions.
Votre prince de papier
se retrouve en compagnie
d'autres héros d'histoires
pour petits: le Petit Poucet,
le Petit Nicolas
et la Petite Sirène,
tous protégés par une fille
nommée Rikikie.

C'était au cours d'une promenade.
Le soleil vrillait dans le ciel pour y faire
un trou de feu dans le bleu.

En marchant, le prince de Motordu
s'aperçut que la taille des cailloux du chemin
gênait ses pas. Ces cailloux, il fallut
d'abord les enjamber puis les escalader.
– Bazar bizarre, s'étonna Motordu,
je me promène souvent par ici mais je n'avais
jamais remarqué cet éboulis géant.

À genoux et en sueur sur
un de ces cailloux devenus rochers,
il se trouva nez à nez…

… avec un insecte géant, quasiment gênant,
chevauché par une petite fille :
– Oh ! la magnifique coccibelle, je n'en avais encore
jamais rencontré une de cette taille !
– Bonjour, mon petit ! fit l'étrange cavalière.

– Je ne suis pas un enfant,
je suis le prince de Motordu !

– Montez vite derrière moi, l'endroit
n'est pas sûr. C'est plein de fourbis, par ici !
En effet, des fourbis de toutes sortes
leur coupaient la route, transportant brindilles,
insectes morts et même leurs propres œufs.
– Fourmidable ! Monstrueux, s'exclama Motordu,
mais… vous parlez tordu, vous aussi !

– J'ai appris ce beau langage dans vos livres.
D'ailleurs, il était inutile de vous présenter.
Je vous avais reconnu. Moi, on m'appelle Rikikie.
Vous êtes toujours prince mais vous avez rétréci.
– Rétréci ? Moi ? Mais pourquoi donc ?
– Je vous expliquerai plus tard. Attention !

– Un vol de briquets !
Heureusement, ils sont éteints !

Plus loin, en sautant maladroitement du dos
de la coccibelle, il fit pivoter un petit rocher derrière
lequel une voix caverneuse se fit entendre :

– La porte ?

– La porte !

– Quelle porte ?

– J'ai dit : la porte !

Un nouvel insecte géant était tapi
dans l'ombre mais Rikikie rassura son passager :

– C'est un clôt-porte. Il n'est pas dangereux,
il a seulement horreur de la lumière mais,
terriblement distrait, il oublie toujours de clore ses portes.
Ah ! au fait, combien mesurez-vous ?

– Mais enfin, miss Rikikie,
expliquez-moi, serais-je en train de rêver ?

Et votre coccibelle,
est-elle à six, douze ou quatorze points ?
Installé comme je suis, je ne les vois pas tous.
— C'est un modèle quatre-quatre poings,
très très utile pour se déplacer en terrain accidenté !
À la vue d'un âne-thon qui se balançait à l'extrémité
d'une herbe, le prince de Motordu regretta
de ne pas avoir emporté son appareil photo.
— Au fait, s'inquiéta Rikikie,
combien mesurez-vous ?

– Euh ! je ne sais plus très bien.
Depuis que je ne vais plus à l'école,
je n'ai plus de mètre. Ni de maîtresse, d'ailleurs.
Rikikie haussa les épaules :
– Je ne vous demande pas votre taille réelle
mais celle que vous avez dans vos livres,
en images, sur papier, quoi !
– Entre deux et dix centimètres,
répondit tristement le prince. Parfois même
beaucoup moins. Comme… euh… comme moi,
maintenant. Mais, pourquoi cette question ?
– Vous le saurez assez tôt,
le convainquit Rikikie. Poursuivons.

Quoique fort occupé à se demander
qui l'on pouvait bien poursuivre, Motordu perçut,
au-dessus de lui, un violent courant d'air.
– Quel vent !

– Mais non, le contredit Rikikie,
ce ne sont que les battements des ailes d'un bon vieux
papi-lion géant. Remarquez bien la couleur fauve de celui-ci.
Ne craignez rien. À cet âge un papi-lion ne dévore plus personne.
Il lui manque tellement de dents qu'il se contente
du sucre des fleurs et n'attrape donc que des caries.
C'est désormais son seul plaisir. Adieu, les bonnes escalopes
d'antilope à faire réchauffer dans sa gazelle !
– J'ai une petite soif, tout à coup, à vous entendre
parler de désert. Une petite glace serait la bienvenue, non ?
hasarda le prince de Motordu.
– Patience, les marécages que nous traversons
sont infestés de loustics toujours avides de festin,
avertit Rikikie.

– Qu'ils aillent piquer une tête dans leur vase,
de nuit comme de jour, mais surtout pas la mienne !
– Vous oubliez leur taille, mon prince. J'en entends un !
Motordu chercha à s'abriter sous sa cape.

Trop tard, un drôle de loustic
lui tournait autour. Motordu lui fit une telle grimace
que le loustic éclata de rire :

– Ha, ha, ha ! assez, je n'ai même plus la force
de vous piquer, vous me faites bien trop marais !
Et, tel un avion en perdition,
le loustic alla s'abîmer dans l'eau boueuse.
– Vous êtes une vraie bombe antiloustic,
cher prince, sourit Rikikie.
– J'ai surtout soif ! insista Motordu.

En fait, il avait plutôt deux soifs qu'une.
La première était bien naturelle, due à toutes ses émotions.
L'autre était la soif de connaître la raison pour laquelle il avait rétréci
pour être précipité dans ce monde aussi inconnu que fabuleux.
– Si on allait boire un clou ? martela-t-il avec force.
La coccibelle fut enfin dirigée vers un petit café tranquille
tenu par une menthe religieuse d'un vert rafraîchissant.
Ses deux hôtes commandèrent un grand ver d'eau, tandis que,
de son côté, l'insecte porte-bonheur choisit une salade
de feuilles de rosier assaisonnée de puces rondes.
– Allez-vous enfin répondre à mes questions ?
supplia Motordu en trinquant avec Rikikie.

Pour toute réponse, la petite fille siffla entre ses doigts :
– Regardez, prince, j'ai fait venir pour vous les petits héros
des histoires pour nous, les enfants. Ils sont presque tous là :
le Petit Prince, le Petit Nicolas, les Trois petits cochons,
Petit-Bleu et Petit-Jaune, la Petite Sirène et même
le Petit Motordu que vous connaissez comme vous-même.
En devenant minuscule vous avez pu mesurer combien,
pour eux comme pour vous, le monde peut être dangereux.

Leur vie de papier est très fragile.
Ils ne deviennent jamais assez grands pour se débrouiller
tout seuls. C'est pourquoi ils trouvent refuge dans la tête
des enfants qui ont pour mission de les protéger.
Voilà pourquoi vous êtes ici avec moi.
— Mais vous, Rikikie, qui êtes-vous vraiment ?
— J'ai lu les histoires de tous ces personnages, les vôtres
aussi. Je m'y suis plongée pour veiller sur ce petit monde.
Un jour, j'aurai tellement lu que je serai devenue grande.
Alors, un autre enfant viendra qui vous protégera…

Le prince de Motordu était ému aux larmes :
– Mini-Rikikie, vous êtes désarmante !
Mais me voilà rassuré. Cependant, j'aimerais
bien revenir dans le monde des grandes personnes…
– Écoutez, prince, les grandes terres sonnent et résonnent…
– Vous avez raison, j'entends d'énormes bruits de pas !
– Ah ! ce que les géants peuvent être désagréables.
Toujours prêts à vous écraser, prédit Rikikie.
– Attendez, on m'appelle, on me cherche !
Cette voix, si chaude, c'est celle de ma flamme,
la princesse Dézécolle !
– Ça va, j'ai compris, admit Rikikie.
Il faut donc nous quitter. Eh bien ! qu'attendez-vous ?
Rejoignez-la ! Adieu !

Et la coccibelle déplia ses ailes
pour s'envoler, tel un hélicoccibel.

Le prince de Motordu sentit une larme couler
sur ses joues, ce qui lui donna l'idée de rouler une feuille
de marguerite pour en faire un porte-voix :
– Attention, ma chérie, je suis là, à vos pieds !
La princesse n'en fut pas autrement surprise.
Son mari l'aimait tellement qu'il passait effectivement
la moitié de sa vie à ses pieds. Cependant :
– Mais où êtes-vous ? Je ne vous vois pas !
– Si vous aviez une loupe, vous ne pourriez
pas me louper, plaisanta le prince.

La princesse le rassura :
– Pas de souci, quand j'observe la nature,
j'ai toujours sur moi une chaloupe de sauvetage
pour voir pousser le gros marin ou le thym.
Quelle odeur, quel bonheur !

– Penchez-vous ! Je suis las, près de votre chaussure gauche.
– Enfin je vous aperçois ! Comme vous êtes loin !
s'étonna la princesse.
– Oui, je suis loin, mais aussi tout près si vous regardez
dans la chaloupe. Vous me saisissez ? Je vais m'y agripper.
– Tirez-moi, étirez-moi de là !
La princesse Dézécolle souleva délicatement sa loupe :
– Aïe ! grimaça le prince, on ne m'avait jamais
encore tiré dessus, ne me loupez pas !

Lorsqu'il eut repris sa vraie grandeur,
la princesse pouffa :
– Vous avez retrouvé votre taille mais
pas votre épaisseur, j'ai dû trop vous étirer.
Je crains que votre vie ne tienne qu'à un fil.
Parlez, vous faites une de ces bobines!
Que vous est-il donc arrivé?
– Je ne sais pas, je ne sais plus, fit Motordu
avec un mince filet de voix au bout du fil. Un accident
du travail, peut-être. Quand on est un héros de livre
pour la jeunesse, pour petits, donc, à vouloir toujours
s'adresser à eux, on oublie de grandir, paraît-il.
C'est ce que j'ai cru comprendre.
– Mais c'est parfait, minauda la princesse
en cherchant coquettement son reflet
dans la chaloupe de sauvetage de son mari.
Grandir, c'est vieillir, non ? Alors ?
– Alors, en voulant rester fidèle à son image,
on prend la taille minuscule de nos images.
Parole de Rikikie !
– De qui ?
– Rikikie, une créature qui se promène
à dos de coccibelle avec la Petite Sirène
et le Petit Nicolas !

– Mon pauvre époux !
– Pauvre et pou, se désola Motordu.
D'où je viens je ne suis qu'un héros taille zéro.
– Que faire ? s'interrogea la princesse. Vous ne semblez
pas avoir toute votre tête. Pourtant, je l'aimais tant,
cette tête, si tendre, si mal mal coiffée !
À peine avait-elle achevé cette phrase que la tête de son mari
reprit sa taille normale, précipitant en avant
son propriétaire déséquilibré.

– Tâchez de vous redresser, mon prince !
Redressez-vous, en tombant vous allez
tacher cette belle cape qui vous donne
si bel air de fête sur les épaules !
Instantanément, les épaules princières
reprirent fière allure.
– Continuez, s'extasia Motordu,
remplumez mon corps beau !

– Ce que j'aime aussi en vous,
poursuivit son épouse,
c'est votre appétit.
Plus qu'un estomac,
vous possédez une vraie
maison à ventre !
– Je ne puis que vous louer
pour ces bonnes paroles,
se réjouit encore le prince
en se caressant le nombril.
Je suis redevenu
à moitié normal.

– J'ai toujours admiré vos jambes de couleur à pied,
vêtues de bleu, et vos infatigables chenilles !
– Et voilà le travail ! Merci, ma douce !
– Qui vous parle de travail ? protesta la princesse. Pour moi,
il ne s'agissait que d'amour. Bienvenue chez les grands !
– Et mes petits ? Je veux dire : et mes enfants ?
Où sont-ils ? Ha ! les voilà !

– Papa, papa, crièrent en chœur Marie-Parlotte
et son frère, le petit Nid-de-Koala. Nous aussi,
on te cherchait partout. Où étais-tu donc passé ?
– Hum, hum !… marmonna leur père.
– Parti faire un tour en coccibelle quatre-quatre,
répondit la princesse.
– Fantastique, passionnant !
Raconte, papa, assieds-toi dans l'herbe !
– Surtout pas, je préfère une bonne petite marche à pied,
d'un pas léger. Ah ! au fait, mes enfants, dites-moi franchement,
me croyez-vous sot, en auteur de vos jours et, surtout,
en petit héros d'histoires pour enfants ?

– Mais non, lui répondirent ses petits, tu es un géant
qui nous fait rire en mettant tout le monde dans ta poche !
Alors le prince de Motordu fouilla toutes les siennes,
histoire de vérifier, après ce qui venait de lui arriver,
qu'elles étaient vides. Qu'aucun petit habitant
du monde d'en bas ne s'y trouvait.
On ne sait jamais !

Ce deuxième volume,
je devrais plutôt dire
ce deuxième atlas
des aventures
du prince de Motordu,
nous invite à un voyage
dans l'espace et le temps.
Votre héros est un véritable
explorateur. Il a l'immense
chance de naviguer sur
l'océan des mots.
Chacun d'eux est tantôt
une vague, tantôt une île.
Sa façon de parler vous
entraîne vers un monde
nouveau et vous donne
à voir ce qu'on ne voit pas.
Voulez-vous vous promener
dans les contes d'antan ?
Hop, vous faites connaissance
avec Planche-Beige !
Avez-vous envie d'écouter
un concert d'orques ?
Bienvenue à bord d'un
bras long dirigeable !
Le monde des insectes
vous impressionne ?
Devenez minuscule
avec Rikikie !
Préparez-vous un ami vert
cerf ? Soufflez les bougies
en compagnie de Motordu !
La magie de la lecture nous
apprend que tout est possible
et on me demande souvent
si ce voyage connaîtra un jour
sa fin. Je réponds toujours
que la Terre est ronde.
Il s'agit donc d'un voyage
sans fin.

Table des matières